Le secret du médaillon

Loi n° 49-956 du 16 juillet 1949
sur les publications destinées à la jeunesse :
février 2014.

Les Mystérieuses Cités d'Or, saison 2,
une série TV d'animation produite par Blue Spirit Productions,
d'après la série originale « Les Mystérieuses Cités d'Or »,
inspirée par le roman « The King's Fifth » de Scott O'Dell,
et écrite par Jean Chalopin et Bernard Deyries.

Bible littéraire : Hadrien Soulez Larivière / Réalisation : Jean-Luc François / Musique : Noam Kaniel
En coproduction avec RTBF (télévision belge) – OUFtivi, Be-Films, Sinematik /
Avec la participation de TF1 et de TéléTOON +, de uFilm /
En association avec Cofinova 7 et Cofinova 8 /
Avec le soutien de NeWen Distribution, Téléquébec, TF1 vidéo, Kaïbou production Inc.,
du Centre National du Cinéma et de l'Image Animée,
de la PROCIREP-Société des Producteurs et de l'ANGOA,
et dans le cadre du Pôle Image Magelis, avec le soutien du Département de la Charente,
de la Région Poitou-Charentes en partenariat avec le CNC.
© Blue Spirit Productions / RTBF / Be-Films / Sinematik / 2012-2013.

ISBN 978-2-266-24330-8

Le secret du médaillon

Pascale Lecœur
d'après la nouvelle série d'animation de **Blue Spirit Productions,**
réalisée par **Jean-Luc François,**
sur un scénario de **Hadrien Soulez Larivière**

Une légende, qui évoque sept cités antiques, guide les pas de trois enfants à la recherche de leurs origines.

Mais d'autres aventuriers, prêts à tout pour s'emparer des pouvoirs et des richesses des mystérieuses Cités d'Or, sont à leur poursuite...

LES PERSONNAGES

ESTEBAN

Sauvé d'un naufrage par Mendoza, **Esteban** est un jeune orphelin plein de courage. Avec ses amis, il parcourt mers et continents pour découvrir les mystérieuses Cités d'Or. Son nom signifie **« Fils du Soleil »** et, autour du cou, il porte une moitié du médaillon du Soleil.

ZIA

Cette jeune **Inca**, fidèle amie d'Esteban, est l'héritière d'une culture très ancienne. Elle est la seule à pouvoir déchiffrer l'**énigmatique quipu d'or**, qui contient des indices sur les Cités d'Or. Elle porte au cou le même médaillon du Soleil qu'Esteban. Douce et réfléchie, elle sait passer à l'action quand il le faut.

TAO

Dernier descendant de la **civilisation de Mu**, Tao ne se sépare jamais de son perroquet, **Pichu**. Débrouillard et inventif, Tao trouve toujours une astuce pour se sortir des situations difficiles.

PICHU

Ce **perroquet malin** n'a pas sa langue dans sa poche. Il n'y a pas meilleur que lui pour sentir venir le danger. Malgré sa petite taille, **Pichu** n'hésite jamais à se jeter dans la bataille – à sa façon !

MENDOZA

Excellent **marin** et remarquable **combattant**, Mendoza recherche les mystérieuses Cités d'Or pour les richesses qu'elles renferment. Cet homme solide, au caractère secret, est aussi le **meilleur allié d'Esteban** dans la quête de ses origines.

PEDRO ET SANCHO

Aussi **peureux** que **paresseux**, les deux compères sont **au service de Mendoza**. Malgré leur allure de pirates et leur maladresse, ils ont une vraie tendresse pour les enfants, qu'ils accompagnent dans leur périple de par le monde.

1

En prenant de grands risques, Esteban, Zia et Tao ont réussi à libérer Mendoza, Sancho et Pedro de la prison de Barcelone, où le mystérieux Zarès les retenait enfermés. Après avoir échappé de justesse aux gardes, les enfants et

leurs compagnons se sont réfugiés dans la forêt. Cette nuit-là, Mendoza a avoué à Esteban que le prêtre mort dans les décombres de la première Cité d'Or était son père. Zia et Tao ont fait tout ce qu'ils pouvaient pour réconforter leur ami. Mais au petit matin, quand la troupe se réveille, le garçon a disparu...

À l'entrée de la grotte, Pichu, affolé, voletait dans tous les sens.

– Esteban parti ! Esteban disparu !

Le petit perroquet battait des ailes pour réveiller ses compagnons. Zia, Tao, Pedro et Sancho étaient stupéfaits. Quelle terrible nouvelle ! Mendoza était très inquiet pour la sécurité d'Esteban.

Zia demanda à l'oiseau :
– Pichu, l'as-tu vu partir ? Sais-tu où il est ?

L'oiseau indiqua une direction :
– Esteban par ici ! Esteban par ici ! Cocok !
Tao l'encouragea :
– Vas-y, mon Pichu, montre-nous le chemin !
Le perroquet ne se fit pas prier et disparut à tire-d'aile. Toute la bande se lança derrière lui. Sancho et Pedro avaient beau cavaler sur le sentier sinueux, ils avaient du mal à suivre leurs amis.

– Par pitié, attendez-nous ! supplia Sancho.

– Je n'arrive plus à respirer ! bafouilla Pedro en trébuchant.

Pichu entraîna ses amis à travers les bois. Il vola jusqu'au pied des remparts de Barcelone. Là, devant un mur de pierre apparemment infranchissable, le perroquet agita ses ailes et pépia :

– Esteban ici, Esteban ici !

Tao s'étonna :

– Tu en es sûr, Pichu ? Esteban est revenu à cet endroit ?

– Esteban ici ! Esteban ici ! répéta l'oiseau.

Tao commenta :

– Ah, il a donc repris le passage secret.

– Mais pourquoi revenir dans la ville que nous avons fuie ? s'étonna Zia. Pour quelle raison a-t-il à nouveau emprunté le tunnel ?

Tao s'approcha de la muraille et répondit :

– Il n'y a qu'un seul moyen de le savoir : y retourner !

Tao actionna un mécanisme et le mur s'ouvrit comme par magie, révélant le passage. Impatient de savoir ce qui était arrivé à son ami, il s'y glissa le premier, suivi de la petite troupe.

2

Dans la salle d'audience du palais, un conseiller militaire faisait son rapport au roi Charles Quint :

– Sire, la situation est très grave ! Les complots se multiplient. Les dangers surgissent de partout. Les Français, les Luthériens et les Turcs se liguent contre vous. Ils sont tous contre l'Espagne !

Le souverain écoutait patiemment lorsque soudain un serviteur entra, porteur d'un message urgent :

– Votre Majesté, il est arrivé. Il attend…

Charles Quint interrompit son conseiller :

– Laissez-nous, général. Nous poursuivrons plus tard.

Celui-ci fit un salut et sortit. Une fois seul, le roi se pencha sur la grande carte du monde qui couvrait la table et soupira. C'est alors que la porte de la salle d'audience s'ouvrit : un homme de grande taille, au visage caché par une capuche, fit son entrée. Le roi n'avait pas besoin de lever la tête pour reconnaître son visiteur : le bruit de ses pas suffisait. C'était Zarès !

Le palais du roi était intimidant, mais Zarès n'éprouvait aucune gêne. Cet

homme, aussi secret que puissant, ne se laissait jamais impressionner par la richesse.

Il s'avança vers le roi et fit une révérence. Même courbé, Zarès dépassait son souverain.

Le roi déclara :

– Zarès, j'espère que vous m'apportez de bonnes nouvelles...

– Elles sont excellentes, Majesté, fit l'homme de sa voix grave. Tout s'est passé exactement comme je l'avais imaginé. J'ai retrouvé les enfants qui portent les médaillons de la légende.

– Alors emparez-vous-en et qu'on en finisse !

– Impossible. Je vais avoir besoin des gamins. Il faut du temps pour que mon plan fonctionne.

Le roi s'emporta tout à coup :

– Du temps ! Vous croyez que j'ai du temps, moi ?

Il frappa du poing sur la carte et serra les mâchoires.

– Mon armée est éparpillée ! Des guerres éclatent partout ! Mon empire est à deux doigts de s'effondrer. Et vous me demandez du temps ?

Zarès resta de marbre.

– Sire, ce que vous apporteront les Cités d'Or dépasse votre imagination. Leur pouvoir vous permettra d'écraser vos ennemis. Vous deviendrez si puissant que le monde entier sera à vos pieds.

Rassuré par cette promesse, le roi esquissa un sourire mauvais.

3

La taverne de Rico était l'un des lieux préférés des marins en escale dans le port de Barcelone. Ce jour-là, l'ambiance était, comme à son habitude, joyeuse et bruyante. Les matelots, attablés autour d'une chope de bière, reprenaient en chœur des chants qui finissaient toujours en éclats de rire.

– C'est la gigue des marins, qui s'en vont vers leur destin. C'est la gigue des marins, qui se coiffent dans les embruns ! Derrière son comptoir, Rico les écoutait d'une oreille distraite en essuyant la vaisselle. Un bruit venu de la réserve attira soudain son attention : il se rendit dans l'arrière-salle. Il entendit à nouveau un choc, un grattement. Cette fois, pas de doute : le son provenait du passage secret caché par une grande barrique. Il débloqua la porte.

– Tao ! Zia ! C'est vous ! s'exclama-t-il. Enfin ! Je me demandais quand vous alliez revenir.

Mendoza sortit du passage à son tour et demanda :

– Tu nous attendais ?

– Et comment !

– Vous avez vu Esteban ? interrogea Zia.

– Il m'a réveillé à l'aube. Il ne semblait pas dans son état normal.

– Où est-il ? le pressa Tao.

– Il est parti ! Sans même dire un mot. J'ai compris qu'il n'allait pas bien, alors je l'ai suivi. Il s'est rendu au vieux monastère, au sud de la ville.

Mendoza parut troublé.

– Le monastère autrefois dirigé par le père Rodriguez ?

– Exactement. Il doit encore y être.

Mendoza se frotta le menton.

– Évidemment, ce n'est pas surprenant…

Tao réagit avec vivacité :

– Pourquoi ce n'est pas surprenant ? C'est quoi, cet endroit ?

Mendoza répondit :

– Alors qu'il était encore bébé, j'ai confié Esteban au père Rodriguez. Il a passé toute son enfance dans ce monastère. Je pense qu'il s'y sent en sécurité.

– Pauvre Esteban, soupira Zia. Il doit se sentir bien seul.

Tao s'écria, enthousiaste :

– Allons le chercher !

Les deux enfants s'apprêtaient à sortir de la taverne, lorsque Mendoza les interpella :

– Attendez ! Le quartier est certainement plein de soldats.

– Il y a des gardes partout, confirma Rico. Depuis votre évasion, ils ont triplé les rondes.

Décidée à se lancer dans l'aventure, Zia répliqua :

– Si Esteban a réussi, nous y parviendrons aussi.

C'est à ce moment que Sancho et Pedro débouchèrent enfin du tunnel secret. Ils n'avaient plus la force de tenir debout et s'appuyaient l'un sur l'autre en chancelant.

– Vous auriez pu nous attendre ! protesta Sancho, tout essoufflé. On n'a jamais vu personne courir aussi vite !

– C'est vrai, renchérit Pedro en hoquetant, on est des marins, on n'est pas des chevaux !

Mendoza les observa avec un sourire amusé.

– Vous tombez bien, tous les deux. J'ai justement une petite mission pour vous...

Les rues de la ville étaient – comme les avait avertis Rico – surveillées par des troupes de soldats armés. Impossible de se faufiler sans se faire repérer ! Longeant les murs avec prudence, Mendoza ouvrait la marche. Il laissa

passer un groupe de gardes, puis se tourna vers ses hommes.

– Pedro, Sancho, c'est à vous de jouer. Pour une fois, je vous autorise à faire les idiots !

Les deux compères, tout contents, s'élancèrent sur la place en hurlant et riant pour attirer l'attention des gardes.

– Coucou ! C'est nous que vous recherchez ! Mais vous ne nous attraperez jamais ! Jamais ! Nananère !

De l'autre côté, deux soldats n'en croyaient pas leurs yeux. Les fuyards leur faisaient des grimaces et leur montraient leurs fesses en éclatant de rire.

– Les fugitifs ! Capturons-les ! hurlèrent les hommes en armes.

Pedro et Sancho prirent la fuite dans le dédale de ruelles, entraînant à leur suite les gardes. Pendant ce temps-là,

Zia, Tao et Mendoza en profitèrent pour traverser sans risque le grand carrefour. Malheureusement, Tao renversa un seau dans sa course. Le bruit de la chute alerta un des hommes. Il se retourna et aperçut les enfants. Alors qu'il allait se précipiter après eux, son commandant lui rappela les ordres :

– Attention ! On laisse les enfants filer et on ne capture que les autres. Il faut que Zarès puisse suivre les petits.

Voyant qu'une partie des soldats fonçait vers Zia et Tao, Mendoza sortit son épée. Prêt à se battre, il chuchota à Tao :
– Filez, je vous protège. Remontez cette rue, vous tomberez sur le monastère.

Mendoza ramassa le seau et fonça droit sur les gardes. Comme les enfants hésitaient à l'abandonner, il ordonna :
– Courez ! On se retrouve où vous savez !
Les deux enfants détalèrent. Mendoza se jeta dans la bataille. Ils étaient maintenant trois contre lui, mais le marin

n'avait aucun mal à les repousser. À coups d'épée, il tenait ses assaillants à bonne distance. Il réussit à en assommer deux et pointa son épée sur le troisième. L'homme tremblait. Mendoza n'eut qu'à grogner pour le faire fuir !

Le marin pensait en avoir fini, quand il entendit tout à coup les cris épouvantés de Sancho et Pedro. Ses deux serviteurs déboulaient d'une ruelle à toute vitesse.

Une foule de gardes armés jusqu'aux dents les pourchassait. Leur diversion avait parfaitement marché : la moitié des soldats de la ville était à leurs trousses !

– Mendoza, sauve-nous !

Face à un si grand nombre d'ennemis, même un guerrier expérimenté ne parviendrait pas à avoir le dessus. Il fallait fuir !

– Venez ! ordonna-t-il.
Les trois hommes s'élancèrent, courant
le plus vite possible pour échapper aux
soldats. Au coin d'une rue, ils se cachèrent
dans l'ombre d'une porte fortifiée. Plaqués
contre le mur, ils furent frôlés par les
gardes qui fonçaient. Ces derniers conti-
nuèrent leur course sans les repérer...

4

Un grand calme régnait dans le monastère. À l'ombre du haut clocher, le lieu
semblait hors du temps. Le père supérieur
sortit de la chapelle en compagnie d'un
moine à la longue barbe et aux cheveux
blancs. Alors qu'ils longeaient le cloître,

le père supérieur remarqua un enfant
assis sur un banc de pierre dans le jardin.

– Qui est ce jeune homme ? Et que fait-il
dans nos murs ?
Le vieux moine ouvrit grand les yeux. La
présence d'un enfant ici était surprenante.
En plus, celui-ci lui rappelait quelqu'un...
– Mais... mais c'est... Esteban ! s'exclama-
t-il d'une voix éraillée.
– Pardon ? Vous le connaissez ?
– C'est un orphelin qui avait été recueilli
par votre prédécesseur, le père Rodriguez.

C'était un bon petit. On l'appelait « le Fils du Soleil » parce que…

Le vieil homme s'interrompit, hésitant.

Le père supérieur insista :

– Dites-moi pourquoi vous l'appeliez ainsi.

– Parce qu'il a le pouvoir de faire apparaître le soleil.

Le père supérieur sursauta.

– Que me racontez-vous là ?

– Cela peut paraître incroyable, mais je l'ai vu de mes propres yeux. Cet enfant sait se faire obéir du soleil.

– Ne dites pas n'importe quoi ! Vous devriez avoir honte. Seul Dieu commande le soleil !

Le père supérieur s'avança vers le jeune visiteur. Perdu dans ses pensées, Esteban ne l'entendit pas s'approcher. Il sursauta en voyant arriver l'homme en robe de bure. Il se leva et le salua.

– Bonjour, mon père.

– Bonjour, mon fils. Pourrais-je savoir comment tu as réussi à entrer en ces lieux ?

– La porte de la cuisine est toujours ouverte.

– Alors c'est donc vrai, tu as vécu ici… Tu te nommes Esteban, c'est cela ?

– Oui, mon père.
– Dis-moi, pourquoi es-tu revenu ?
Esteban ne sut que répondre. Il y avait trop à dire. Devant son trouble, le père supérieur sourit et lui désigna le banc.
– Asseyons-nous et parle-moi sans crainte. Tu as besoin de soulager ton cœur, je le sens.

Esteban soupira.
– J'ai quitté le monastère voilà presque un an, confia-t-il. J'ai voyagé jusqu'au

Nouveau Monde dans l'espoir d'y retrouver mon père.

– Tu es allé dans le Nouveau Monde et tu en es revenu ? Tout cela en moins d'un an ? Mais c'est impossible !

– En fait, mes amis et moi voyageons à bord d'un immense oiseau en or qui peut voler. Nous l'appelons le Grand Condor.

– Mon garçon, Dieu n'aime pas les mensonges…

– Mais c'est la vérité ! protesta Esteban. Cet oiseau a été construit par le peuple de Mu, le peuple qui a bâti les Cités d'Or.

– Des Cités d'Or ? Quelle imagination, mon petit ! Et ton père ? L'as-tu retrouvé ?

– Oui, mais il est mort.

– Pauvre enfant. Et ta mère ?

– Je ne l'ai jamais connue. Je ne sais plus ce que je dois faire maintenant. Je suis perdu…

Le père supérieur prit Esteban par les épaules et lui dit d'une voix douce :
– Tu n'es pas revenu par hasard. Dieu a guidé tes pas jusqu'à nous. Tu dois rester ici, jusqu'à ce que nous te trouvions une famille.

– Une famille ?
Rien qu'en prononçant le mot, Esteban sentit les larmes lui monter aux yeux.

– Oui, mon garçon, nous pouvons te faire adopter, et tu auras une famille !

Esteban était bouleversé. C'est alors qu'il lui sembla entendre Pichu. Il crut d'abord qu'il avait rêvé, mais la voix du petit perroquet se fit plus insistante :

– Esteban ! Esteban !

L'oiseau apparut soudain à son côté. Quelle joie de le revoir ! Mais comment était-il arrivé jusque-là ? Esteban n'était pas au bout de ses surprises !

D'autres voix l'appelèrent :

– Esteban ! Esteban !

Un bruissement dans le grand arbre qui montait jusqu'au toit lui fit tourner la tête. Il découvrit Zia et Tao, qui descendaient des branches avec agilité.

– Mais qu'est-ce que c'est encore ? s'étonna le père supérieur. On entre donc dans ce monastère comme dans un moulin ?

– Oh ! ce sont mes amis ! déclara Esteban
en se précipitant vers eux.

Les trois enfants se retrouvèrent avec joie. Ils riaient et dansaient en se tenant les mains.

– Je suis désolé, confia Esteban. Vous vous êtes sûrement inquiétés. J'aurais dû…

– Oublions ça, l'interrompit Zia avec un doux sourire. Tu vas bien et nous sommes à nouveau réunis. C'est tout ce qui compte.

– Comment m'avez-vous retrouvé ?

Tao désigna leur complice à plumes.

– C'est Pichu qui t'a vu. Rico et Mendoza nous ont aussi un peu aidés.

Tao jeta un coup d'œil autour de lui et dit :
— Alors comme ça, c'est ici que tu as
passé ton enfance ? C'est joli, mais il n'y
a pas beaucoup d'animation, en tout cas
moins que dehors ! Allez, viens, il ne faut
pas traîner. Il y a des soldats partout.
Cependant Esteban ne bougea pas. Il
regardait le père supérieur. Celui-ci
s'approcha, salua les deux jeunes visi-
teurs, puis s'adressa à son protégé :

– Esteban, tu t'es égaré depuis un an,
mais ta place est dans une famille, j'en
suis certain.

Zia et Tao réagirent ensemble :

– Mais de quoi parle-t-il ?

Le père continua :

– Réfléchis bien, mon garçon. Je connais
plusieurs familles qui seraient heureuses
de t'accueillir comme un fils.

Le jeune garçon se tourna vers le père
supérieur. Il hésita un instant, lança un

dernier regard à ses amis et se laissa
entraîner par le moine. Tao bondit.

– Esteban, tu ne vas quand même pas
rester ici ? C'est impossible !
Tao, Zia et Pichu suivirent leur ami.
– C'est quoi, cette histoire de famille ?
Esteban se retourna et fit quelques pas
vers eux. Il semblait triste et perdu.

– Tu veux nous laisser ? demanda Zia, incrédule.

– Non… Mais à quoi bon repartir, maintenant que je sais que mon père est mort ?

– Je te comprends, répondit Zia, avec un sourire plein de compassion. Être recueilli par une famille, ce serait sans doute très bien. Mais, Esteban, nous ne sommes pas comme les autres enfants. Regarde, toi et moi, nous portons le médaillon des Cités d'Or. Il doit bien y avoir une raison.

Esteban baissa les yeux vers son médaillon et le prit dans le creux de sa main. Le bijou brillait. Soudain, d'un mouvement brusque, le jeune garçon l'arracha de son cou.

– Non, il n'y a aucune raison.

Il tendit son médaillon à son ami.

– Tao, tu es le dernier descendant du peuple de Mu, qui a bâti les Cités…

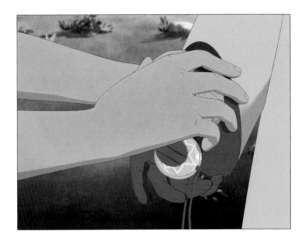

Il lui saisit la main et y déposa son pendentif.

– C'est toi qui dois le porter.

– Non, non ! s'écria Tao. Je n'en veux pas. Il est à toi, reprends-le !

Hélas ! Esteban refusa et se détourna de ses amis pour rejoindre le père supérieur. Zia l'appela, mais il ne se retourna même pas. Les deux enfants se sentirent abandonnés. Une triste pluie se mit à tomber.

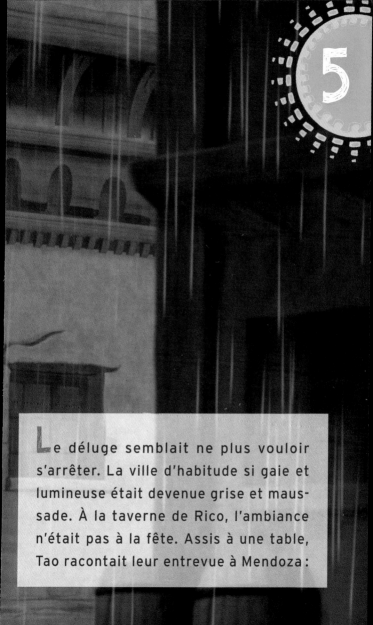

5

Le déluge semblait ne plus vouloir s'arrêter. La ville d'habitude si gaie et lumineuse était devenue grise et maussade. À la taverne de Rico, l'ambiance n'était pas à la fête. Assis à une table, Tao racontait leur entrevue à Mendoza :

– Esteban a dit qu'il voulait rester au monastère, et puis il est parti. Zia et moi ne savions plus quoi faire, alors on est revenus ici.

Mendoza était contrarié. Du fond de la taverne, la voix de Pedro résonna :
– Ce n'est pas si grave que ça ! Puisqu'il a donné son médaillon à Tao, on n'a qu'à continuer à chercher les Cités d'Or sans lui !
Sancho se mit à rire avec son complice.

– Taisez-vous ! gronda Mendoza.

– On ne peut pas laisser Esteban tout seul, intervint Zia. Peut-être que je devrais rester avec lui…

– Non ! protesta Tao. Tu ne dois pas rester. Et lui non plus. On doit repartir tous ensemble !

La jeune fille soupira :

– Tao, j'aimerais tellement… mais je crois que ce ne sera pas possible.

Perdu, le jeune garçon prit dans sa poche le médaillon que son ami lui avait donné. Il ouvrit les doigts pour le regarder… et ce qu'il découvrit le stupéfia.

– Regardez ça ! s'écria-t-il. Venez voir !

En s'approchant, tous écarquillèrent les yeux de surprise. Quelque chose était arrivé au médaillon. Même Pichu n'en revenait pas.

– Comment est-ce possible ? s'exclama Mendoza.

– Vous êtes certains que c'est bien son médaillon ? interrogea Rico.

– Cela doit vouloir dire quelque chose. Il faut le montrer à Esteban, dit Tao.

Il se dirigea d'un pas décidé vers la porte de la taverne. Zia le suivit.

– Vous n'allez quand même pas y retourner ? Pas avec ces gardes qui grouillent partout ? s'inquiéta Sancho.

– Nous n'avons pas le choix, répliqua Zia. Tao a raison. Esteban doit savoir.

Mendoza pointa un doigt menaçant vers ses hommes.

– Vous deux…

Sancho et Pedro se mirent à claquer des dents à l'idée de ce que leur chef allait encore leur demander.

– Vous deux, vous ne bougez pas d'ici avant que l'on soit revenus !

Soulagés, ils s'exclamèrent :

– À vos ordres, mon capitaine ! On ne bouge pas, on ne fait rien, on reste bien au chaud à la taverne !

Mendoza et les enfants partirent d'un pas vif. Le trio traversa la ville sous la pluie pour rejoindre le monastère. Ils ne

se doutaient pas que quelqu'un les obser-
vait… Caché derrière un pilier, Zarès ne
les avait pas perdus de vue. Un garde
s'approcha discrètement de lui.

– Je t'écoute, dit Zarès. Parle !

– D'après notre informateur, il est arrivé
quelque chose à son médaillon…

– Que tous les hommes se tiennent prêts
à intervenir, au cas où.

– À vos ordres.

Le soldat s'éloigna à vive allure.

Zia et Tao pénétrèrent de nouveau dans le
monastère, par l'arbre dont les branches
dépassaient dans la rue. Ils se laissèrent
glisser le long du tronc et atterrirent
dans le cloître. Une voix les interpella :

– Dites donc, les enfants, qu'est-ce que
vous faites là ?

Le vieux moine à la barbe blanche qui
avait reconnu Esteban s'avança vers eux.

Tao se fit le plus sérieux possible pour lui répondre :

– Nous souhaiterions voir notre excellent ami Esteban.

– Vous êtes des amis du Fils du Soleil ? demanda le religieux, soudain souriant.

– Nous sommes ses meilleurs amis !

– Je suis désolé, vous ne pourrez pas le voir. Le père supérieur interdit toute visite.

– Comment ça ? tonna une voix venue de l'extrémité du cloître.

C'était Mendoza, qui approchait à grands pas.

– Les choses ont bien changé depuis ma dernière visite, ajouta-t-il.

Le vieux moine s'exclama :

– Capitaine Mendoza ! Quelle joie de vous revoir ! Je me souviens comme si c'était hier du jour où vous nous avez confié le petit Esteban. Puisque vous êtes là, venez, allons voir le père Marco. Peut-être vous donnera-t-il la permission...

Mendoza se pencha vers Tao.

– Confie-moi le médaillon.

Tao fit la moue. Il n'avait pas du tout envie de lui donner le médaillon. Même après toutes les aventures qu'ils avaient partagées, il se méfiait toujours un peu de l'aventurier. Au fond, il n'avait confiance qu'en Esteban et en Zia. Mendoza insista :
– Sois sans crainte, Tao, je saurai lui parler.
Le jeune garçon regarda le capitaine droit dans les yeux et finit par déposer le bijou au creux de sa grande main.
Le père Marco permit à Mendoza de rencontrer Esteban. Le garçon était tout

en haut du clocher. Avant de lui ouvrir la porte, le père Marco adressa une dernière recommandation à l'aventurier :

– La seule chose que je vous demande, c'est de ne pas l'encourager dans ses croyances au sujet du soleil.

– Vous pouvez compter sur moi.

Mendoza monta l'escalier jusqu'au sommet de la tour. Il découvrit Esteban appuyé sur le rebord de pierre. L'enfant contemplait la ville. Même sous la pluie, elle restait magnifique. En entendant des pas, Esteban se retourna.

– Mendoza ? Que faites-vous là ?

– Je suis venu te rapporter un objet qui t'appartient.

L'homme ouvrit sa main et montra le médaillon. Le bijou ne brillait plus. Il ne semblait plus fait d'or, mais de plomb. En le découvrant sans éclat, Esteban n'en crut pas ses yeux.

– Pourquoi est-il ainsi ? Est-ce vraiment mon médaillon ? Que s'est-il passé ?

– Tu ne comprends pas ?

– Non.

– Vas-y, prends-le.

Esteban hésita à saisir l'objet, mais, à la seconde où il posa la main dessus, le médaillon retrouva son aspect doré, comme par enchantement.

– Comment est-ce possible ? s'exclama le garçon. Il brille à nouveau de mille feux !

– Tu sais, Tao en est certain : le peuple de Mu a conçu vos médaillons, à toi et à Zia, pour que vous seuls puissiez les porter. Loin de vous, ils deviennent inutilisables et sans valeur. Est-ce que tu comprends ce que cela signifie ?

Esteban n'eut pas le temps de répondre, car des voix se firent entendre. Il eut la surprise de voir Pichu, Tao et Zia débarquer à leur tour.

– J'ai bien cru qu'ils ne nous laisseraient jamais monter, grogna Tao.

Esteban accueillit ses amis en leur montrant le médaillon.

– Regardez, il brille de nouveau !

– Fantastique ! s'enthousiasma Tao. C'est la preuve ! Tu as été choisi, comme Zia ! Vous êtes les enfants élus !

Au moment où Tao achevait sa phrase, les nuages qui recouvraient la ville s'éloignèrent. Comme un signe du destin, un rayon de soleil vint illuminer le bijou. Mendoza s'approcha d'Esteban.

– Tu comprends, maintenant ?

– Mais qui nous a choisis ? demanda le garçon. Et pourquoi ?

Zia lui prit la main.

– Reviens avec nous. Nous le découvrirons ensemble.

Soudain, la voix du père supérieur retentit :

– Laissez Esteban tranquille !

Il arriva à son tour au sommet du clocher et s'adressa à son nouveau protégé :

– Si tu pars, mon garçon, tu perds sans doute ta seule chance d'avoir une famille.

Esteban ne savait plus quoi penser. Il était face à un choix tellement difficile…

Il regarda longuement le père supérieur, puis son médaillon. Enfin, d'un geste calme, il rattacha le bijou autour de son cou et déclara :

– Merci beaucoup de votre aide, mon père, mais j'ai déjà une famille.

Il prit par la main Zia et Tao et les trois
enfants laissèrent éclater leur joie.

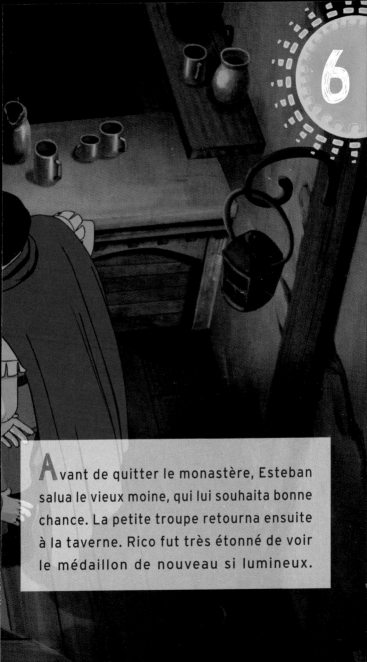

6

Avant de quitter le monastère, Esteban salua le vieux moine, qui lui souhaita bonne chance. La petite troupe retourna ensuite à la taverne. Rico fut très étonné de voir le médaillon de nouveau si lumineux.

Il l'éclaira avec une lanterne pour s'assurer que c'était bien le même.

– C'est incroyable, il est redevenu comme avant !

Dans la lueur de la bougie, le bijou brilla d'un éclat étrange. Zia plissa les yeux.

– Regardez, on dirait que les reflets du médaillon forment un dessin !

Tao s'approcha afin de l'observer de plus près.

– C'est vrai ! Les éclats du médaillon ressemblent à ceux dessinés sur mon document !

Il sortit le précieux rouleau de sa tunique et l'étala sur la table. Tous s'installèrent autour de lui.

– C'est exactement ce que je disais ! triompha Tao. Voyez vous-mêmes ! On distingue deux lunes, avec des lignes qui s'en éloignent pour aller vers le soleil.

Mendoza, ses hommes, Rico et les enfants n'en revenaient pas. Esteban demanda :

– Tu crois que nos médaillons servent à déchiffrer la carte ?

– Il faut essayer !

Zia ôta le bijou de son cou et le déposa sur l'un des emplacements. Sa forme en croissant correspondait parfaitement à celle tracée sur la carte. Esteban posa son propre pendentif sur l'autre.

Mendoza se pencha pour étudier le résultat.

– Et maintenant, que se passe-t-il ? Je ne vois rien.

Tao prit la lanterne des mains de Rico et la plaça sur la carte.

– Puisque les lunes sont là, s'exclama-t-il, il ne manque plus que le soleil !

Lorsqu'il plaça la bougie entre les médaillons, un incroyable phénomène se produisit. Les reflets dorés projetés par

les bijoux éclairés dessinèrent toute une série de lignes sur la carte. La lumière révélait le sens caché du document.

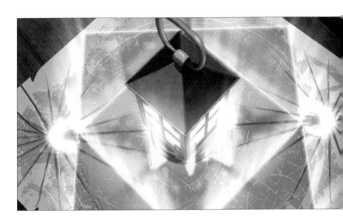

Un cri d'étonnement monta du petit groupe. Chacun était fasciné par ce qu'il découvrait. Zia suggéra :

– Et si on pliait la carte en suivant les lignes ?

– Bonne idée, déclara Esteban, qui suivit aussitôt son conseil.

Comme un puzzle qui se recompose, les contours de la carte tracèrent de nouvelles formes. En grand voyageur et en navigateur expérimenté, Mendoza comprit immédiatement de quoi il s'agissait.

– Ainsi repliée, la carte dessine les océans et les continents. Tenez, ici on voit l'Espagne, et là, le Nouveau Monde...

– Et qu'indique ce reflet ? interrogea Esteban en désignant un point lumineux sur le parchemin.

– L'empire de Chine. À l'autre bout du monde. C'est sans doute là que nous devons nous rendre pour continuer à chercher les Cités d'Or.

Tao réagit, méfiant :
– Pourquoi « nous » ? Pourquoi viendriez-vous ?
– Parce que le danger est grand, et parce que je connais deux ou trois choses sur ces lointaines contrées qui pourraient bien vous être utiles…

– Et au passage, vous prendrez un peu d'or, fit Tao, narquois. Comme la dernière fois !

Zia essaya de raisonner son ami :

– Tao, nous ne savons rien de cet empire...

Esteban ajouta :

– On peut faire confiance à Mendoza. Depuis le temps, il le mérite.

– Bon, d'accord, dit Tao. Allons-y ensemble. J'espère au moins qu'il ne fait pas trop froid dans cet empire !

Sancho et Pedro étaient enthousiastes.

– À nous la fortune ! À nous les Cités d'Or !

Esteban les calma en déclarant :

– Pas question d'or, pas question de fortune ! Moi, tout ce que je veux, c'est savoir pourquoi j'ai ce médaillon autour du cou.

– Moi aussi ! s'exclama Zia.

Tao renchérit :

– Et moi, je veux savoir pourquoi ce sont vous que mes ancêtres ont choisis… et pas moi !

La petite bande, heureuse à l'idée de repartir à l'aventure, rit aux éclats.

7

Pour sortir de la ville, Esteban et les siens prirent à nouveau le tunnel secret. Celui-ci les amena au-delà des remparts, vers la forêt. Du haut des fortifications, les gardes les repérèrent et se mirent à tirer, mais leurs coups de feu

ne les stoppèrent pas. Même Sancho et Pedro, qui avaient du mal à courir vite, foncèrent.

Esteban conduisit la troupe jusqu'à une clairière où le Grand Condor les attendait. L'immense oiseau d'or aux formes élégantes se dressait entre les arbres. Il était un parfait mélange de traditions millénaires et de technologie futuriste.

Esteban se servit de son médaillon comme d'une clef, et le bec de l'imposant condor s'abaissa, révélant une échelle pour monter à bord.

– Vite ! les pressa Mendoza. Ne perdons pas de temps.

Pichu se faufila dans l'ouverture, suivi des enfants. Pedro était heureux de retrouver le vaisseau.

– C'est vraiment une machine incroyable !

– Créée par mes ancêtres ! précisa Tao, très fier.

Au moment où Sancho escaladait l'échelle, une balle lui siffla aux oreilles.

– Les gardes nous ont retrouvés ! hurla Mendoza. Dépêchez-vous !

– Ça devient une habitude de nous tirer dessus !

Déjà, à la lisière des arbres, des gardes se positionnaient pour faire feu. D'autres chargeaient en tenant devant eux leurs épées. Mendoza se hissa d'un bond dans le Grand Condor. Esteban alluma tous les systèmes de navigation, prêt au décollage. Le bec de l'oiseau se referma. Les tirs rebondirent sur la carrosserie de l'engin.

Alors que les troupes encerclaient l'appareil, Esteban saisit le manche de pilotage et la machine prit son envol. Dans

un nuage de poussière, le Grand Condor s'éleva dans le ciel, semant la panique chez les soldats.

Majestueusement, le vaisseau doré s'éleva dans les airs, avant de replier ses pattes pour s'élancer encore plus haut.

– Ouf, on s'en est sortis ! s'exclama Zia.

– Un peu trop facilement…, commenta Mendoza, pensif.

– Que voulez-vous dire ? demanda Esteban.
– Lorsque nous sommes sortis du tunnel au pied des remparts, j'ai eu l'impression que les soldats tiraient sans vraiment nous viser. Comme s'ils voulaient nous effrayer et nous pousser à partir. Sinon, comment auraient-ils pu rater deux cibles aussi lentes et aussi voyantes que Sancho et Pedro ?

Les enfants n'en croyaient pas leurs oreilles, et pourtant, Mendoza n'avait peut-être pas tort...

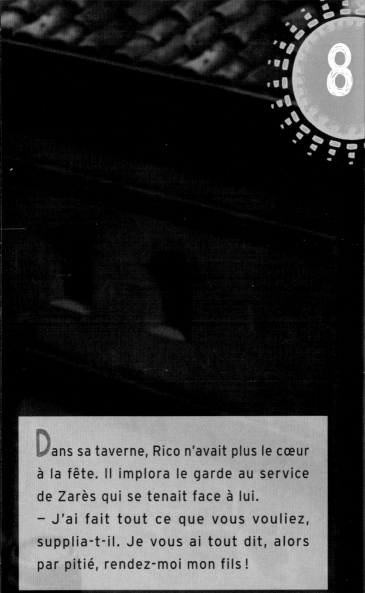

8

Dans sa taverne, Rico n'avait plus le cœur
à la fête. Il implora le garde au service
de Zarès qui se tenait face à lui.
– J'ai fait tout ce que vous vouliez,
supplia-t-il. Je vous ai tout dit, alors
par pitié, rendez-moi mon fils !

Le soldat ouvrit la porte derrière lui et un petit garçon apeuré passa la tête.

Lorsqu'il découvrit son père, il cria de joie en s'élançant :
– Papa !
– Mon petit !
Rico prit son enfant dans ses bras et le serra fort sur son cœur. Le garde s'approcha et leva un pistolet. Le brave aubergiste sentit un frisson de peur lui parcourir le dos. Protégeant son enfant, il demanda, la voix étranglée :

– Qu'est-ce que vous faites ?
Le garde saisit son deuxième pistolet
et avoua :
– J'ai ordre de vous tuer, mais je n'en ai
pas envie. Alors sauvez-vous vite…

Il tira un premier coup de feu en direction du plafond pour faire croire qu'il obéissait aux ordres. La détonation résonna jusque dans la rue, où attendait le reste de la troupe. Rico prit la fuite sans demander son reste. L'homme tira alors une deuxième fois. L'aubergiste et son fils l'avaient échappé belle.

Dans la salle d'audience du palais royal, Zarès venait de faire son rapport au souverain.

– Sire, maintenant je dois partir. Je ne peux me permettre de leur laisser trop d'avance.

– Vous allez les suivre. Mais jusqu'où ?

– Jusqu'en Chine, et qui sait ? peut-être même plus loin encore…

Alors que nos héros volent vers l'empire de Chine, de nouvelles aventures pleines de mystérieux pièges les attendent déjà.

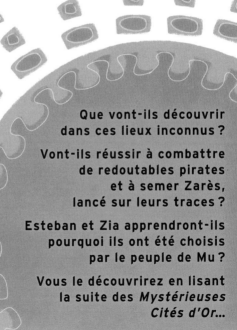

Que vont-ils découvrir
dans ces lieux inconnus ?

Vont-ils réussir à combattre
de redoutables pirates
et à semer Zarès,
lancé sur leurs traces ?

Esteban et Zia apprendront-ils
pourquoi ils ont été choisis
par le peuple de Mu ?

Vous le découvrirez en lisant
la suite des *Mystérieuses
Cités d'Or*...

Barcelone, en Espagne, est la cité où Esteban a grandi. Cette ville est aujourd'hui encore riche de nombreux monastères et églises, très anciens, tous plus beaux les uns que les autres. L'église Santa María del Mar, par

exemple, se situe dans le quartier du Barrio Gótico. Le monastère de Montserrat, quant à lui, est niché dans les montagnes aux alentours de la ville.

Charles V, dit Charles Quint (« quint » signifie cinquième en français du Moyen Âge), est né en l'an 1500 et mort en l'an 1558. Il a été un souverain très puissant. Il a régné sur les Pays-Bas, Naples, la Sicile, la Germanie, l'Espagne... Son empire était si vaste qu'on disait que le soleil ne s'y couchait jamais.

Achevé d'imprimer en France
en juin 2014
par Pollina, 85400 Luçon
N° L69029

Dépôt légal : février 2014
Suite du premier tirage : juillet 2014

MIXTE
Papier issu de
sources responsables
FSC® C003309

Pocket Jeunesse, une marque d'Univers Poche,
est un éditeur qui s'engage pour
la préservation de son environnement
et qui utilise du papier fabriqué à partir
de bois provenant de forêts gérées
de manière responsable.

www.pocketjeunesse.fr
• POCKET JEUNESSE

12, avenue d'Italie – 75627 PARIS Cedex 13